D1171581

Tercera edición: enero 2016

Título original: *Batticuore e altre emozioni*
© 2010, Giunti Progetti Educativi S.r.l., Firenze
www.giuntiprogettieducativi.it // www.giunti.it

Texto: Roberto Piumini
Ilustración: AnnaLaura Cantone
© **De esta edición:** Grupo Editorial Luis Vives, 2013

Edelvives Talleres Gráficos. Certificado ISO 9001
Impreso en Zaragoza, España

ISBN: 978-84-263-8957-2
Depósito legal: Z 427-2013

Roberto Piumini   AnnaLaura Cantone

EMOCIONES Y SENTIMIENTOS

Traducción Pilar Careaga

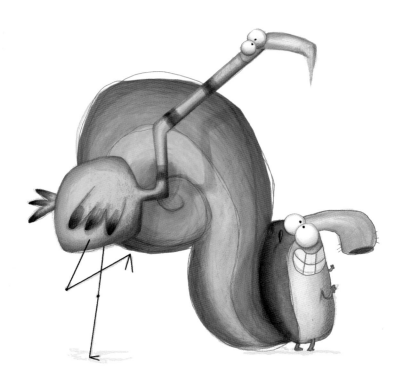

EDELVIVES

PALPITACIONES

A veces, el corazón impetuoso
empieza a palpitar furiosamente,
palpita, late fuerte, tempestuoso.
Pon la mano en el pecho, ¿qué se siente?

¿Qué pasa? ¿Por qué redobla ese tambor?
¿Ha estallado la guerra? ¿La revolución?
Nada de eso; te explicaré el temblor:
una emoción perturba el corazón.

Una emoción o un desasosiego:
el corazón da una señal, avisa
con un poco de miedo, un recelo,
o con el recuerdo de una sonrisa.

Siempre late el corazón, ¡menos mal!,
pero algunas veces lo hace muy fuerte
porque sientes por dentro algo especial:
es peligro de vida, no de muerte.

RUBOR

A menudo las chicas, no solo ellas,
de repente se ponen coloradas,
como las manzanas más encarnadas,
como las brasas, como las grosellas.

¿Por qué la piel se ha vuelto de ese color?
¿Por qué la palidez del rostro se ha ido?
¿Por qué se ha cubierto de ese arrebol?
¿Por qué pasa? No lo sé, yo no he sido.

Calma, no hay ningún problema, de verdad:
solo es sangre que colorea la mejilla.
Pasa por timidez o ansiedad:
si sonríes, se irá ese color quisquilla.

El rojo lo causa el miedo, la alarma;
el rosa, en cambio, una pequeña duda:
se marcha cuando el corazón se calma,
se recupera el habla y no se suda.

13

PICOR

Eva se rasca aquí, Tomás allá,
Andrés la barbilla, Silvia la nariz.
Hay picores para dar y tomar.
Dime, ¿qué te pica a ti, infeliz?

¡No lo causan insectos escondidos,
ni elefantes, ni genios descarados,
mucho menos microbios atrevidos,
o nano-alienígenas enfadados.

Son unas sustancias que, por estrés,
la piel expulsa, y echa a la basura;
son protestas de la piel, puntapiés,
desahogos de tristeza y amargura.

Si rascas, el picor desaparece,
pero enseguida vuelve el sarpullido.
Inquietud, nervios, ¡otra vez escuece!
¡Ah!, no pica a quien se siente querido.

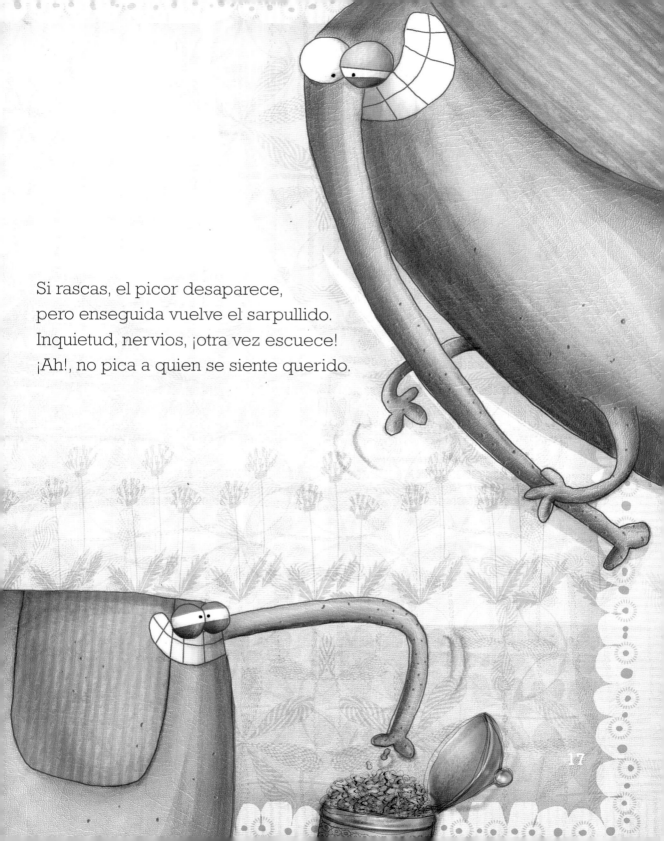

Llanto

Tú no te acuerdas, pero mamá sí,
papá también, cuando llorabas tanto
porque tenías hambre, sed o pipí:
no sabías hablar y usabas el llanto.

También ahora, cuando te duele algo,
y no tienes la palabra precisa,
lloras: es tu manera de contarlo,
de que se note tu dolor deprisa.

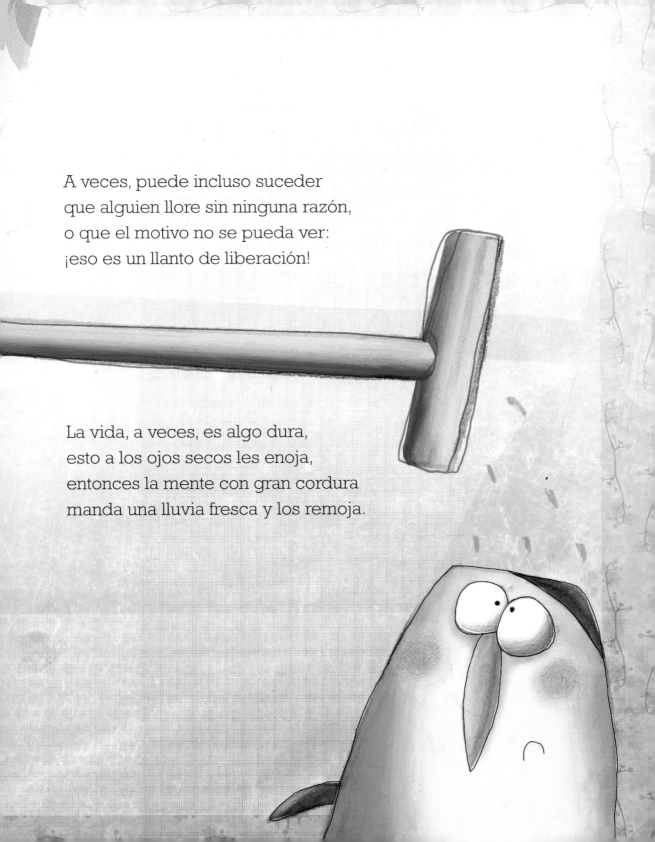

A veces, puede incluso suceder
que alguien llore sin ninguna razón,
o que el motivo no se pueda ver:
¡eso es un llanto de liberación!

La vida, a veces, es algo dura,
esto a los ojos secos les enoja,
entonces la mente con gran cordura
manda una lluvia fresca y los remoja.

Tartamudeo

Hay gente que habla a borbotones.
Como si la frase que va a decir
topase con tabiques o portones,
y seguida no pudiera salir.

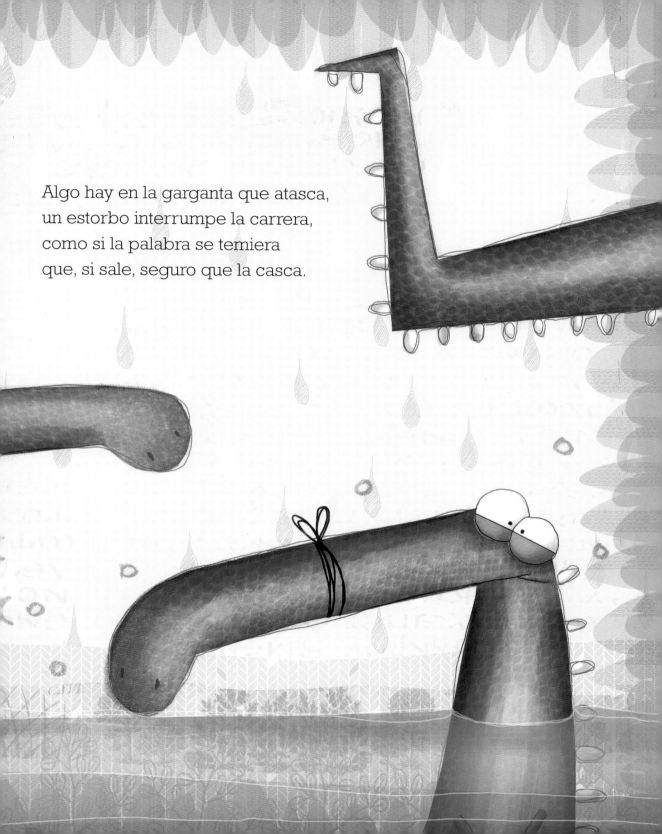

Algo hay en la garganta que atasca,
un estorbo interrumpe la carrera,
como si la palabra se temiera
que, si sale, seguro que la casca.

Si un niño conoce muchas palabras,
aunque a veces su lengua sea algo lenta,
que no piense que está como una cabra:
ya le saldrán seguidas y contentas.

También sucede, cuando se es mayor.
La palabra tropieza y se quiebra,
cuando una emoción todo lo vertebra,
bien por un examen, por un amor.

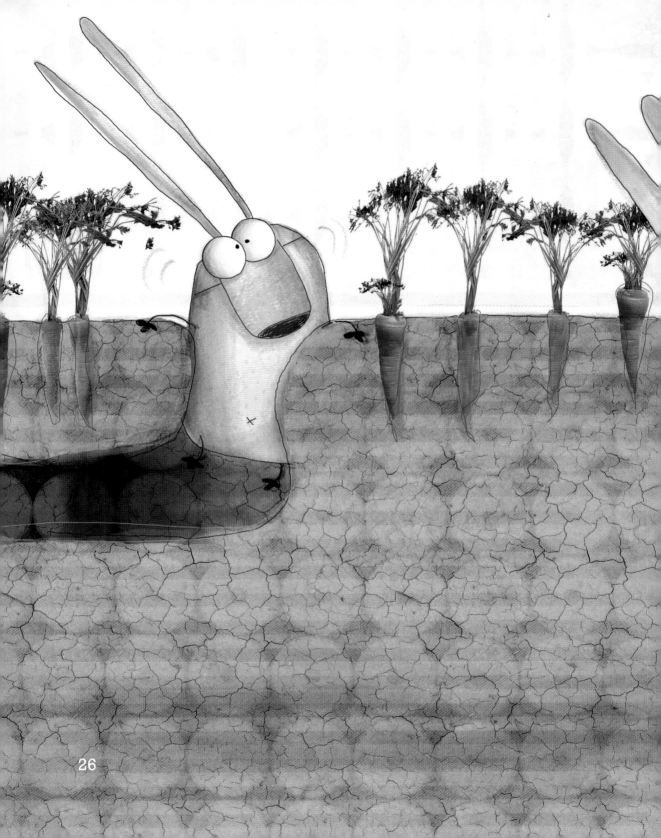

ESTORNUDO

Abre los ojos, como acto reflejo,
ciérralos contrayendo la nariz,
frunce los labios igual que un conejo:
arruga el cuello como una lombriz.

Inspira mucho aire, pon cara fea,
que se parezca a un mono mofletudo,
haz muchas muecas raras y olisquea,
y por fin, ¡at… chís!: llegó el estornudo.

27

Con el ruido del enorme estallido,
sale por la nariz una rociada
de aire con mocos, nada delicada,
se va volando, te deja aturdido.

En resumen, te has liberado de algo
que tu nariz no quería contener:
fuera idea, ansiedad, podenco o galgo
lo has eliminado con gran placer.

DOLOR DE TRIPA

¿Te ha dolido la tripa alguna vez?
¿Te dolía tanto que te hizo llorar?
El dolor crece con gran rapidez.
Es lo peor que te puede pasar.

Si un bebé llora, su mamá se asusta:
el niño está malito, ¡pobrecito!;
otra, en cambio, piensa que tiene hambre
y le da un rico biberón calentito.

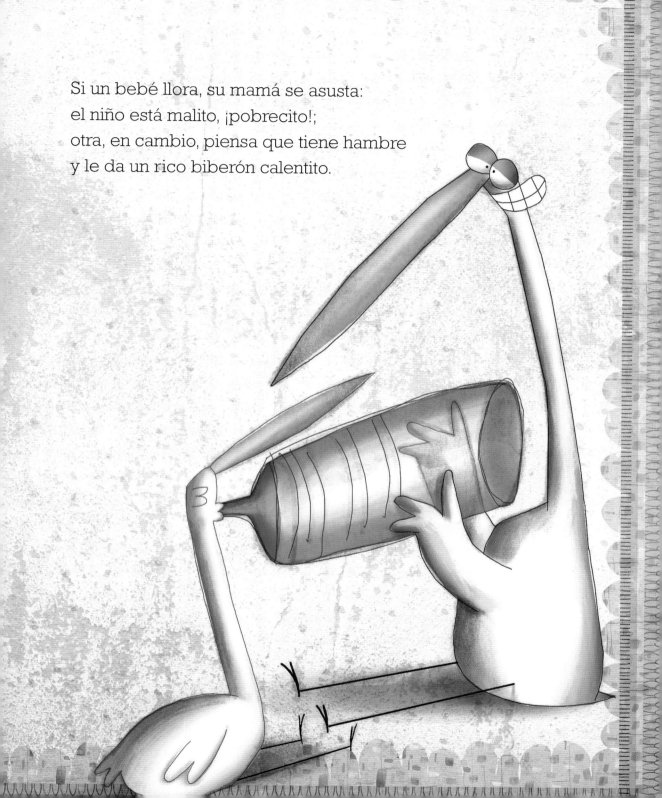

Otra mamá lo envuelve en sus brazos,
lo acuna y le ronronea con dulzura.
Otra le pone el chupete entre abrazos…
y se le acabó el dolor a esta criatura.

Pero hay datos de que se puede dar
un raro dolor de tripa artificial.
Cuando en el cole hay examen general,
un dolor de tripa viene genial.

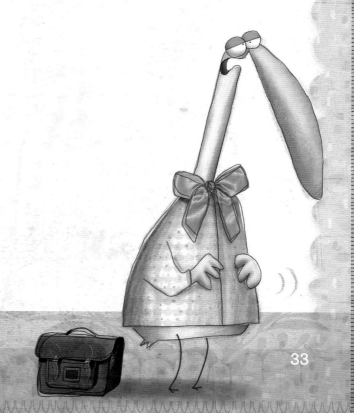

HIPO

Un sobresalto, arriba y abajo,
la garganta se cierra y dice: «Hip».
Ha ocurrido y no estabas en el ajo:
¿es cosa de magia? ¿Será un tic?

Ni es magia ni es un tic, solo es el hipo:
contracción involuntaria y fortuita,
extravagante y chocante de un nervio
cuando se le toca o cuando se irrita.

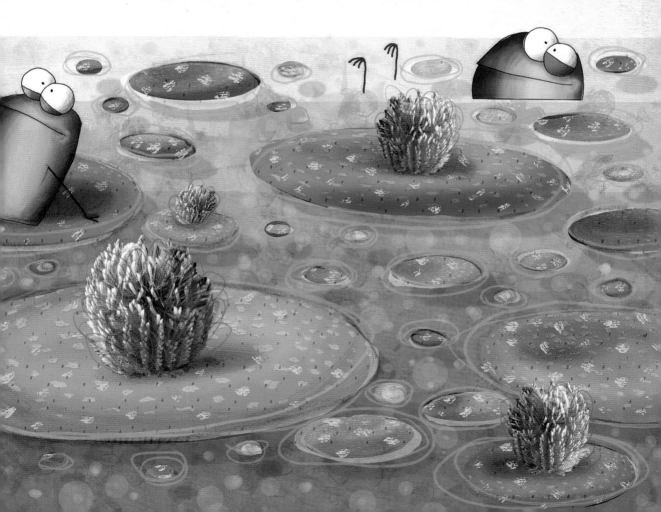

¿Qué se puede hacer para que se vaya?
Contar hasta veinte sin respirar,
beber agua, o un zumo de papaya,
esperar a que alguien te quiera asustar.

Atención: si el susto es exagerado,
puede provocar otro hipo tremendo.
Mejor decir este verso rimado:
«Hipo tengo y a mi amor se lo
                            encomiendo».

BOSTEZO

El bostezo está pero que muy estudiado,
está estudiado muy profundamente,
han descubierto que sale apocado,
pero todavía nada es concluyente.

Se sabe que lo produce el sueño,
el aburrimiento, el hambre o el estrés,
a veces también un temor pequeño,
pero todavía nadie sabe lo que es.

Quizás busca un buen chuletón de aire
para hacerle frente al sueño y al miedo,
o es el modo de ocultar con donaire
el haberse metido en un enredo.

Que es contagioso, se sabe seguro:
lo ves hacer, lo copias velozmente.
Como la sonrisa, tiene futuro;
son gestos que se buscan en la gente.

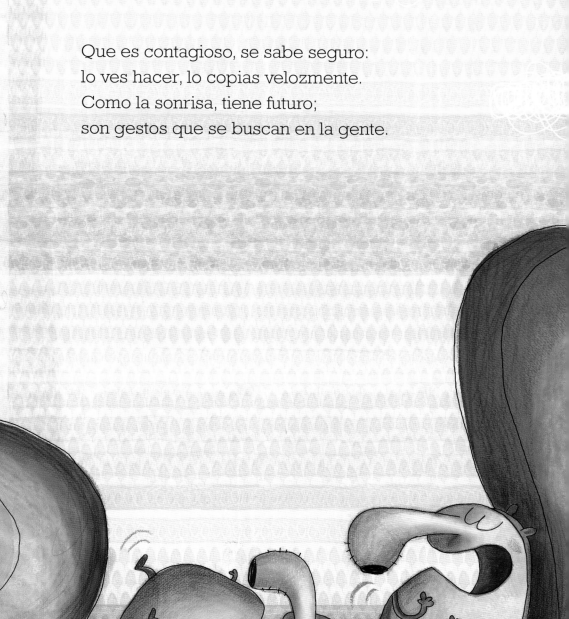

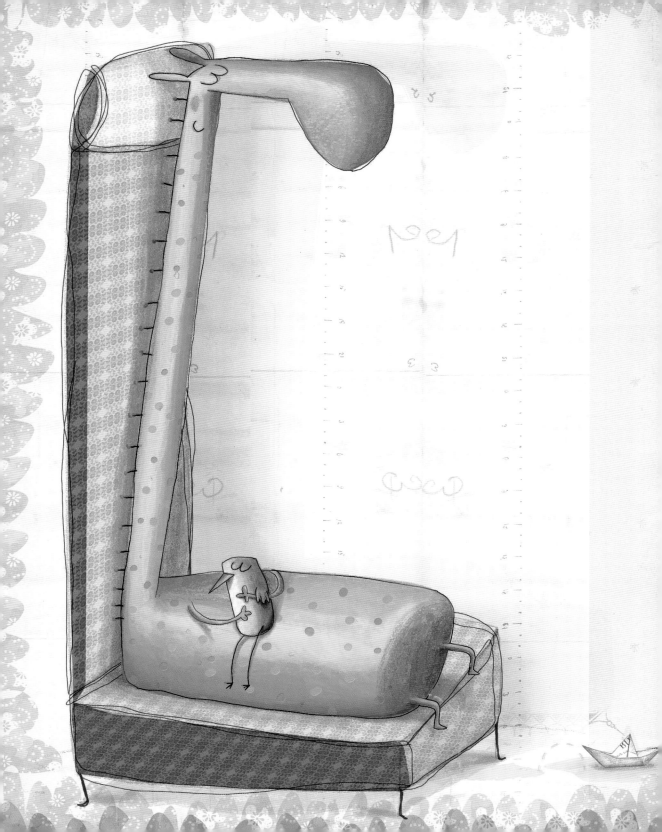

PIS EN LA CAMA

Cuando se duerme, y cuando se sueña,
a veces el pis se escapa por el pijama:
sale inesperadamente a la cama,
moja la sábana, y allí se queda.

Es como si un grifo se hubiese abierto
dentro del cuerpo y estuviera saliendo
poco o mucho pis; esto es lo cierto,
mientras tanto tú sigues durmiendo.

Pasa porque, quizás, alguna cosa
del día anterior te ha soliviantado;
tu mente, aunque duerma, está nerviosa:
duermes, sí, pero estás algo asustado.

A muchos, de pequeños, les sucedía.
Si preguntas, mamá y papá te dirán
que cuando eran niños también ocurría:
solo es un poco de pis, nada más.

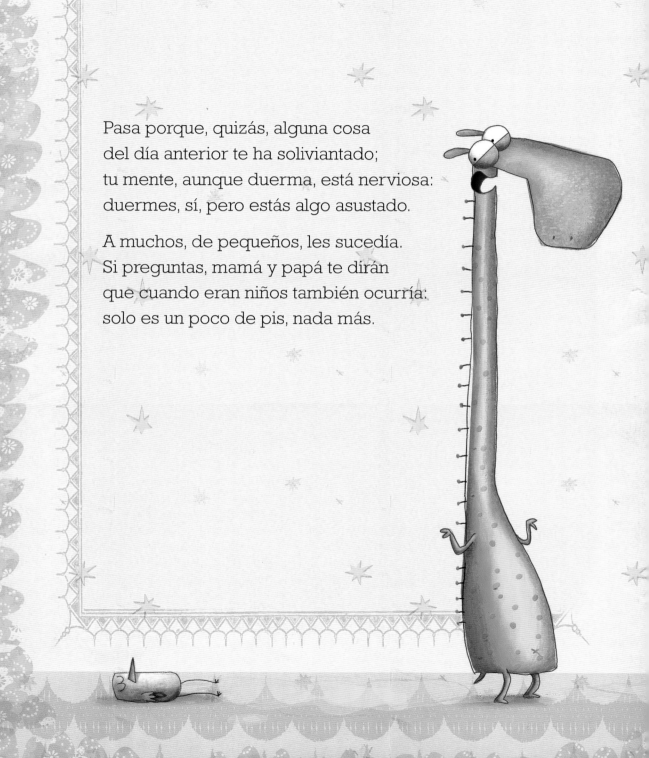

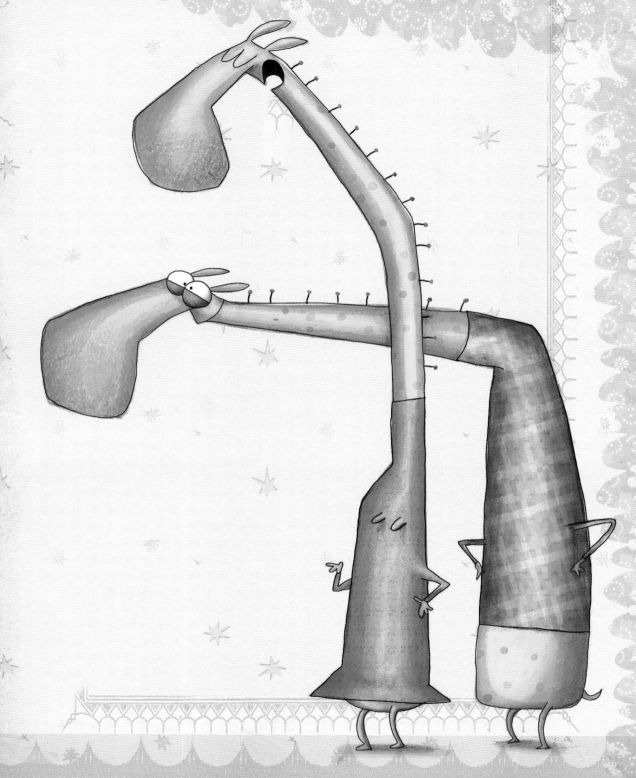

RABIA

La rabia te llega de improviso,
la cara se pone como un tomate,
un gesto de enfado sin previo aviso,
y chillas, gritas, como en un combate.

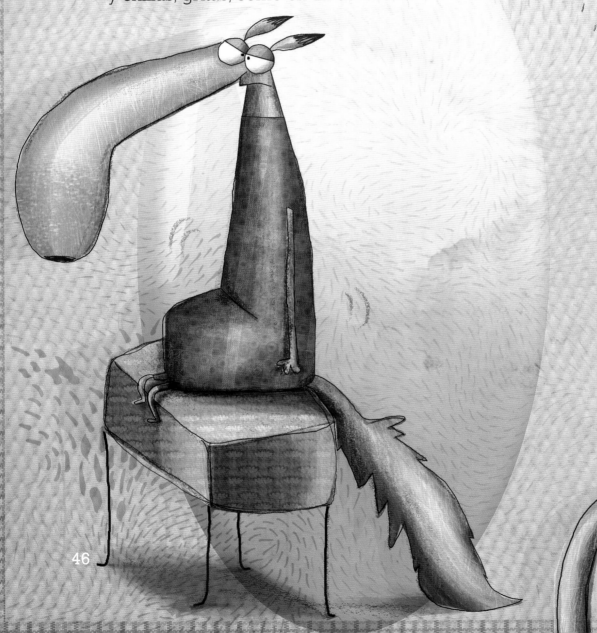

46

Te hablan, pero ni siquiera escuchas,
te calman, pero tú sigues furioso,
no hablas, vociferas, ¡qué locura!,
te calman, pero tú sigues rabioso.

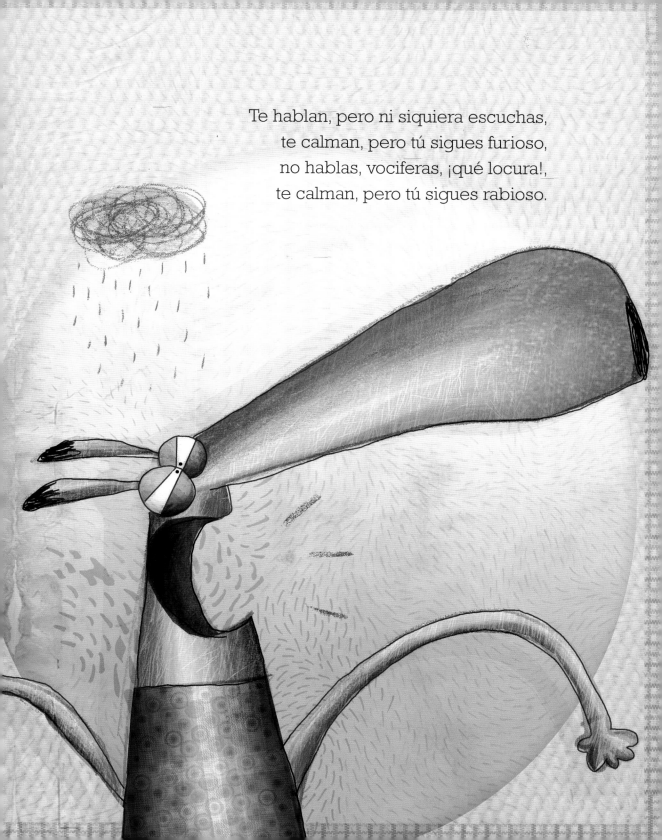

Es como una fiebre pasajera,
unas décimas que queman la frente.
Muchas veces el miedo la genera,
o la timidez que dentro se siente.

48

Y pasa, como pasa la tormenta,
y llega la calma al tempestuoso mar.
Estabas rabioso, ahora cuenta,
ya estás tranquilo, vamos a hablar.

Agresividad

Estás agresivo: quieres tirar
cosas contra la pared y contra el suelo,
incluso machacar y abofetear
a alguien: es un sentimiento violento.

Pegar, a veces, es un modo lioso,
raro, de querer amar y conocer:
quieres hacer un regalo gracioso
y pegas, porque es lo que sabes hacer.

Pegar está mal: no es ningún secreto.
Si alguien debe pelear, que sea el peluche
que dé almohadonazos, inquieto,
monte follón en la habitación y luche.

Lo mejor, cambiar golpes y puñetazos
por tiernos besos y fuertes abrazos.
Si pegas pierdes y si besas ganas.
Si pegas disgustas, si besas gustas.

TOS NERVIOSA

A cualquier edad te puede pasar:
te pones a toser en un segundo,
toser y toser, sin poder parar,
lo que produce un malestar profundo.

No es la tos de resfriado o de catarro,
sino una tos nerviosa, poca cosa,
que irrita la garganta cual cigarro
y que ahí se agarra muy temblorosa.

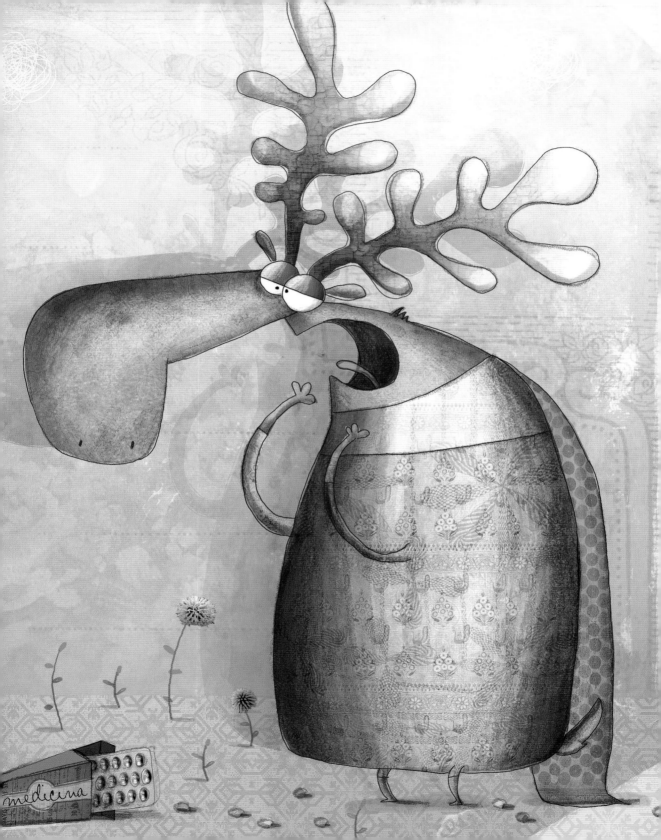

Cuando hay muchas penas en el alma
la horrible tos crece casi el doble;
mas si te relajas, la tos se calma:
se fue. ¿A que te sientes como un roble?

Tos rara, llena de miedo o vergüenza,
que actúa solamente de día,
aun yendo en bici una mañana fría.
¡Picor molesto, creado en tu cabeza!

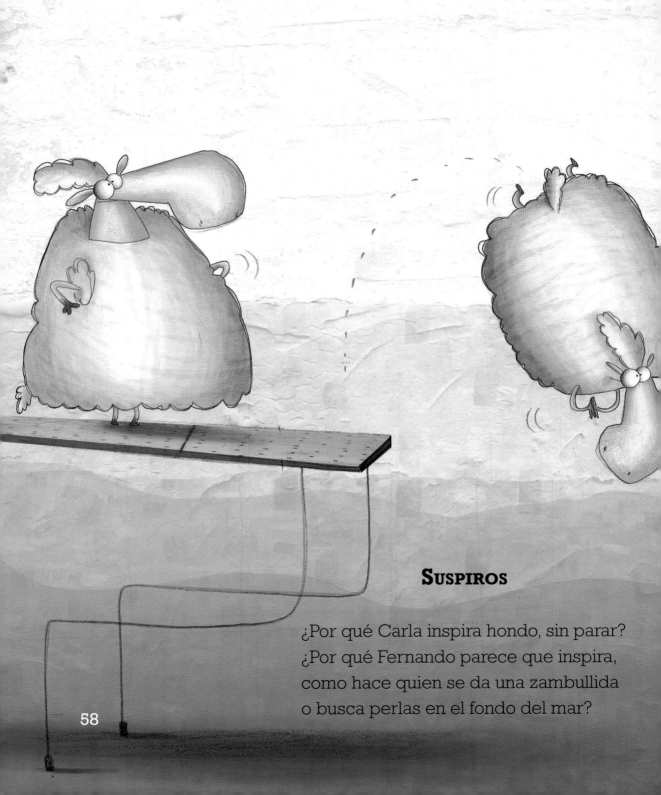

SUSPIROS

¿Por qué Carla inspira hondo, sin parar?
¿Por qué Fernando parece que inspira,
como hace quien se da una zambullida
o busca perlas en el fondo del mar?

58

¿Por qué Ana inspira a cada minuto,
vaciando por completo sus pulmones
como si lanzase al aire un macuto?
Respiran mal y tienen sus razones.

Contener el aliento cuesta mucho,
sin embargo, no se les nota nada:
parecen entretenidos y duchos.
¿Qué les pasa que no les desagrada?

Suspiran. El suspiro se produce
cuando aparecen las tribulaciones.
Mas, aunque cuesta respirar, seduce
nadar en medio de un mar de emociones.

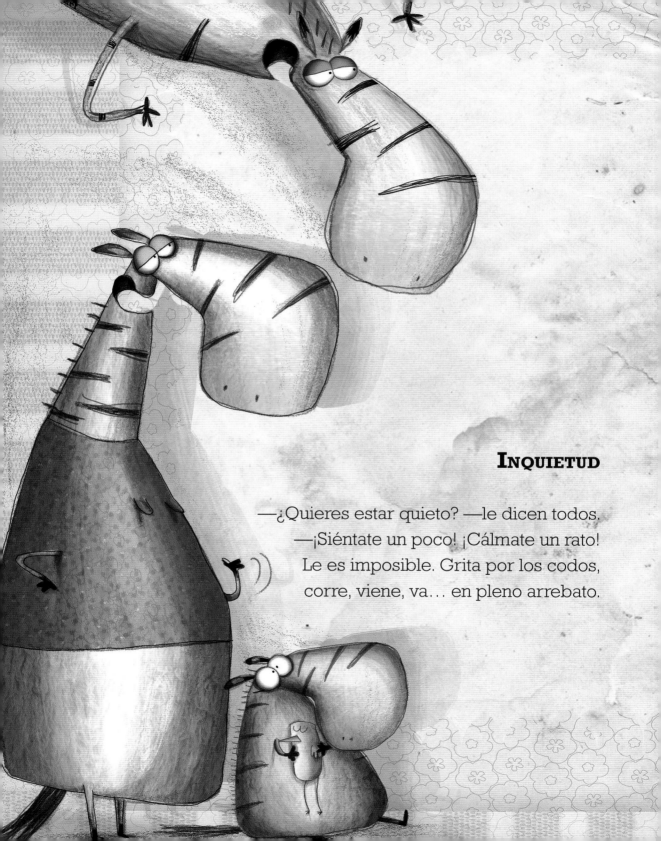

INQUIETUD

—¿Quieres estar quieto? —le dicen todos.
—¡Siéntate un poco! ¡Cálmate un rato!
Le es imposible. Grita por los codos,
corre, viene, va… en pleno arrebato.

—¡No te aceleres tanto! —se le dice.
Pero ella no está ni un minuto quieta,
demasiado traviesa, le resulta imposible,
pues le domina una inquietud secreta.

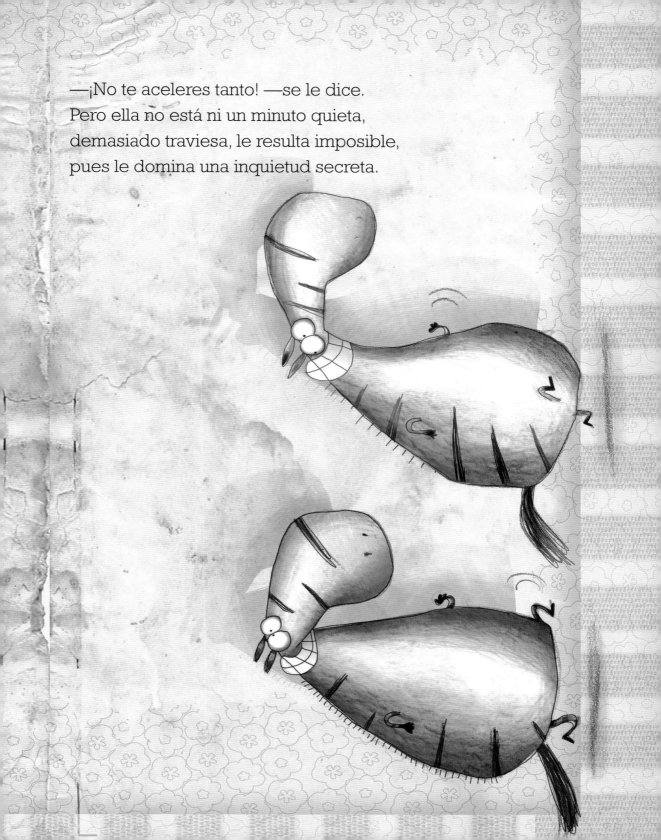

Ojalá no se deba a una comida
sabrosa, mas con algún ingrediente
dañino, o a una excitante bebida
demasiado fría, o efervescente.

Ojalá sean zozobras repentinas,
propias de la infancia, que se eliminan,
y sin necesidad de medicinas,
que muchas veces son bastante amargas.